MW00437933

¿Qué bestia escoges hoy para morir?

Víspera del Sueño

Colección de Poesía

(Homenaje a Aida Cartagena Portalatín)

(Homage to Aida Cartagena Portalatín)

Poetry Collection

Dream's Eve

Nilton Maa

¿QUÉ BESTIA ESCOGES HOY PARA MORIR?

Nueva York Poetry Press LLC
128 Madison Avenue, Suite 2RN
New York, NY 10016, USA
+1(929)354-7778
nuevayork.poetrypress@gmail.com
www.nuevayorkpoetrypress.com

¿Qué bestia escoges hoy para morir?
© 2023 Nilton Maa

ISBN-13: 978-1-958001-36-3

© *Dream Eve Collection / Colección Víspera del Sueño vol. 01*
(Homage to Aída Cartagena Portalatín)

© Editor in Chief & Publisher:
Marisa Russo

© Blurb:
Isaac Goldenberg
Alexandra Arana Blass

© Prologue:
Gustavo Gac Artigas

© Cover Designer:
William Velásquez Vásquez

©Layout Designer
Agustina Andrade

© Cover and interiors photograph:
Adobe Stock License

© Author's Photographer:
Carlos Chong

Nilton, Maa
¿Qué bestia escoges hoy para morir? / Nilton Maa. 1ª ed. New York: Nueva York Poetry Press, 2023, 104 pp. 5.25" x 8".

1. Hispanic American Poetry. 2. Peruvian Poetry

All rights reserved. No part of this publication may be reproduced, distributed, or transmitted in any form or by any means, including photocopying, recording, or other electronic or mechanical methods, without the prior written permission of the publisher, except in the case of brief quotations embodied in critical reviews and certain other non-commercial uses permitted by copyright law. For permissions contact the publisher at: nuevayork.poetrypress@gmail.com.

Prólogo

¿Qué bestia escoges hoy para morir?

Hay poemarios que remecen, que confrontan, que quitan las barreras de la piel y de la mente como se quitan las capas de la tierna cebolla para llegar al corazón del fruto, al corazón del alma. *¿Qué bestia escoges hoy para morir?* es uno de ellos.

De la pluma de Nilton Maa brotan el dolor, el amor y el deseo paseando por las calles de Nueva York, paseando por las memorias del mundo, paseando por el corazón del lector. Brota el canto de amor surgiendo de las calles del mundo, de solitarios seres tratando de evitar las fauces de los fantasmas que intentan devorarlos en esa larga noche de sentimientos escondidos, de temores, de la necesidad dulce y amarga de encontrar otro cuerpo perdido en la noche.

Se renace, se vuelve a la vida, el cuerpo pide despertar, encontrar el camino, una caricia, en ese canto de amor, ese grito desgarrador del alma de Maa. El verbo, cual lengua a la vez áspera y dulce penetra el sentimiento, te acaricia, se revuelca en tu mente y besa los ojos, la lengua, el sexo y la mente del lector.

Los versos de *¿Qué bestia escoges hoy para morir?* no nos dejan indiferentes, exigen una respuesta, una emoción, un pensamiento que libre pasee por las páginas del poemario, esos versos músculos palpitantes de deseo buscando des vuelta la página. El cuerpo, se retuerce, gime, derrama calor, pide calor, pide cicatrizar viejas heridas, pide lo exploren como se explora el amor, libre de prejuicios, libre de falsa piedad, pide que el lector se entregue de cuerpo entero al cuerpo herido transformado en verso. Nilton Naa, nos quiere humanos.

El poeta hace caer las caretas; el amor en su pluma no necesita disfrazarse, existe. Existe, pero no es eterno, existe más allá de uno, existe más acá de uno, existe en el que vendrá. Poeta caminando en círculos, frágil cuerpo que vaga en las noches esperando una nueva caricia, esperando el amanecer de un nuevo deseo, su alimento.

El cuerpo cobra vida independiente de su dueño y sale a caminar en busca de un nuevo dueño. Aquel que no se atrevió a ser se reconstruye caricia a caricia, centímetro a centímetro, en una nueva piel, en un nuevo gemido de placer, en un cuerpo ajeno que despierta y construye el suyo. Y esos cuerpos se alejan al llegar el alba, "porque te has ido en pedazos cada mañana;/al brote del alba perece el amor", anuncio de un día oscuro, de una noche que queda atrás, doble cárcel en la vida del poeta, la noche y el día eternamente enfrentados.

El poeta nos sumerge en su canto, nos hace navegar por vidas tormentosas, y por vidas de esperanza, de encuentros y desencuentros siguiendo su camino en busca de sí mismo, de ese sí mismo que conduce a la felicidad. Sí, cada página, cada verso, cada poema de *¿Qué bestia escoges hoy para morir?*, cada paso en la noche, aunque sea dado "entre ratas y vagabundos", cada cuerpo que se explora, que se busca, que se anhela, es un sublime y desgarrador canto de amor, testimonio de una búsqueda eterna que revive cada noche esperando, esperando un nuevo cuerpo que desaparecerá al amanecer.

GUSTAVO GAC-ARTIGAS

Septiembre 2023

A mis musas neoyorkinas
Gabriel Reyes y Jonathan del Castillo
por obsequiarme la luz
en este camino de sombras.

FAUCES BAJO LA LUNA

Recorre la ciudad un ser alado.
Ojos miran, manos sienten,
boca explota, voz escucha,
y nada teme, nada huele
sobre sus fauces.

La presa ha caído, serena,
donde los mantos nocturnos
se extienden al ras de la luz.
El cuello cuelga sobre la roca,
colorea de rojo el colmillo asesino,
como la tierra sedienta
aguardando el calor.

Cae el cuerpo inerte,
cae el cielo de su mirada.
Nadie recuerda un muerto sin nombre,
un rostro sin luces en las pupilas.
Todos caemos en esa boca;
se cierne en nuestra garganta,
aprieta, aprieta, vuelve a apretar.

El aullido se ha vuelto una amenaza;
invocamos noches sin lunas,
cielos que perdimos
bajo esas alas que persiguen,
de las que nada, ni nadie escapa.

No somos criaturas de la noche;
caminamos en una tierra lejana
donde la luz no es suficiente,
no arranca nuestras sombras
clavadas en el pecho,
y nos confunde en su opacidad.

Vuelvo al cuerpo caído
que no muere por saciar el hambre
sino, más bien, por el placer de las bestias,
el goce sombrío
frente al grito que se extingue,
frente al miedo que se esparce
incluso más que el mito.

Una mentira que controla,
una verdad que no concuerda…

¿Qué bestia escoges hoy para morir?

OQUEDAD

de mi ser,
oquedad de mi voz,
oquedad,
oquedad
de mi pecho vacío,
de tu boca sin voz;
oquedad que me envuelve,
que disimulo con gracia.
Oquedad que se expande
y me deja solo la piel.
Oquedad de tu nombre,
de ti sin más,
que te vas y me dejas
con el vacío que crece
oprime
gobierna
estremece
me empuja de nuevo
hacia mi propia oquedad.

CORPORALIDAD

Cuerpo henchido,
gloriosa mano que aferra,
que suelta,
que araña
y ennegrece mi negro deseo de ti.

Mientras te fundes en mi cuerpo,
mis ojos te despiden,
te regresan a la nube cruel
de la que caes en la noche.

Cuerpo compungido,
sin visa en mi frontera; cuerpo oscuro y
dilatado
que se aferra
como me aferro yo a tu deseo,
al movimiento de tu lengua,
de todo en ti
y de todo en mí.

ESCAPARATE

I

Ya no hay más calle mía en Manhattan,
vereda nueva en la que esconda mi
hambre,
esquina inclinada cual vitrina
donde observo los cuerpos

caminantes
nocturnos
en busca de placer,

de un amor que se esfume
al contacto de la luz, cuando amanezca.

II

No todo es sombra en la ciudad;
también, feliz sostengo
una boca entre mis labios.
Incomprendido y necio,
Anhelo tocar la piel distante,
ajena de todo, excepto de la noche,
de la tiniebla en que me encuentra y
me tienta.
Se desprende la razón,
y todo me conduce al sitio
donde se derrama larga la mentira.

CUERPO PEQUEÑO

Amanezco adolorido;
en mi cama
mi cuerpo se acongoja,

se cierra como un puño enfebrecido,
las rodillas se ciernen al pecho,
y buscan un hueco, un trozo de calor,
piedad emancipada de mis huesos.

Mi oído seco divaga por un viejo dolor.

Ya no puedo abrir la boca
sin sentir el tiro adusto,
nota alta de una voz que ya no arenga,
que ya no pronuncia los conjuros
          necesarios
para aliviar este dolor tan mío
          que me cerca.

Amanezco adolorido, y
entre el dolor descubro

lo prohibido:
hay cicatrices
que nombran el tormento,
un recuerdo muscular,
una herida repicando desde la sangre
y en el grito que ya no se escucha
desde esta boca que quiere cantar,
que se ahoga en su propia estrofa.

DESPUÉS DE TI QUEDA LA NOCHE

Tu cuerpo se mueve,
me habita en silencio,
me obliga a ser quien quiero ser
o a no ser quien no debería.

¿Qué sería de mi voz
sin esa conciencia?
Estaría, quizá, girando
en esa nebulosa esencia,
en ese ciclo que no acaba,
que reinicia al filo de la muerte.

En el rincón oscuro,
te guardo cubierto con mi propia piel;
te abandono en el bullicio,
allí donde tu boca no me dañe,
donde tus dientes no marquen
mi cuello atónito
y completamente adicto a ti.

Mi cuerpo se mueve, ya
no habita tu silencio;
hoy me voy por la vereda
a buscarte en otras manos
en el reguero aguardentoso
de otros fluidos esenciales.

Éxtasis

Podría haber dejado el camino,
plantar la semilla en el desierto,
esperar por el fuego
y caminar en círculos bajo el sol
hasta perderme…

Pero aquí me tengo,
morando algunas sombras,
saltando por las noches
que me susurran mil voces,
que me alientan a empujar la mirada,
a esperar el incipiente deseo,
la caricia que me eleva,
me deshace entre esos cuerpos,
esos rostros olvidados
al morir de la penumbra.

También soy un fantasma.
Mi piel se desliza.
Hendidura tras hendidura
atravieso humedades;

nos movemos al reventar del beat,
y siento el éxtasis volar entre mis átomos.
Siento el ruido más ruido que nunca,
sequedad de mi garganta
que me estorba mientras bailo;

performo
con la náusea
y el ansia
de volar.

Espejo nocturno

Mi cuerpo habita un vacío,
mi cuerpo respira y sonríe;
con ojos ciegos explora una cavidad,
dolor que atenaza las manos,
amordaza esta boca que gime,
este cuerpo que cruje.

En mi pecho crece un ser extraño:
criatura que extiende mis brazos,
domina mi voz,
me empuja a ser
quien nunca fui.

DESEO

Palmo a palmo transito por tu piel;
acarician mis manos
el grito de la carne,
mientras juegas ardiendo
en el latido de mis venas, y
el músculo de tu pierna
aprisiona mi deseo.

Gemimos.

Gutural, tu boca exclama,
me nombra y me condena;
me esconde,
me funde en la caricia,
en la dureza de tus ansias,
en ese profundo encuentro
de tu cuerpo con mi espíritu.

Observamos,

en la inquietud de nuestro encuentro,

cómo se enciende un nuevo día.
No sé si adviertes, en mis ojos,
el misterio de esta noche,
o si los tuyos me devuelven
al silencio del final

Te abrazo,
me abrazas,
y así,
al final de esta ilusión,
envuelvo mi cuerpo desnudo
frente a ti,
frente al mundo
ya sin noche,
sin más piel en este fardo
que se va desprovisto en el camino
que puntearon tus manos.

HIGH

¿Qué es la noche sino vehemente pasión?
¿Qué será de mi noche sin tu droga
que entregas boca a boca?

¿Cuántos colores han inhalado mis fosas,
        que se manchan por dentro
        de falsa ilusión?

¿Qué es esta voz creciendo en mi cabeza?
¿Es, acaso, el rumor de mi sexo a veces
        marchito
o dolorosamente armado de un incendio
entre humedales y sed nunca saciada?

También moteo mi garganta con pastillas
        de colores,
atravieso mis neuronas con deseos
        aturdidos;
la pupila se me inflama y torna oscura,

muerdo mi boca por dentro,
empujo el alma con suspiros cortos.

¿Por qué la noche es una prisión
pintarrajeada de nubes y arcoíris?

ARCOÍRIS

I

Dicen
que tus ojos son un prisma
de donde nace un arcoíris
cuando cae la noche; como
un cuerpo desvalido
me deslizo en la ilusión de ese tesoro.
Más allá,
donde muere la luz,
alcanzo un estrambótico segundo
junto a tu cuerpo,
que desvanece el cansancio
de mis pasos errantes,
y me devuelve a la ilusión
de un cielo amoratado,
de un encuentro en ese orbe
donde convives con tus miedos.

II

Es de noche
y estás lejos;
otro cuerpo te acompaña en la distancia,
recorre los matices de tu mirada,
alcanza la cima de tu deseo que,
tan lleno de ti, exclama un improperio.
Pero tu cuerpo estático conjetura mi piel.
Lo sé porque te siento;
en este cuerpo retorcido que abandonas,
siento tu bosque, voz que,
          como una daga,
penetra mi piel cuando respiro,
y me abandona en el lóbrego silencio de
mi cama sin los pendones de tu piel.

Corrientes nocturnas

¿De dónde es que han venido
estas corrientes que
me empujan al desfiladero,
a la infinita negrura de lo incierto?
¿Qué es esto que impulsa mi cuerpo
hasta caer atravesando la luz
          de un aerolito
dibujado en el murmullo de un espasmo?

No sé qué tanto soy
de esta corriente humana
que se ensancha,
gira al ahogo de un tornado,
me engulle mojado de deseo,
me penetra entre las sombras,
y me hace muy suyo
          pero menos mío.

Cada noche salto desde mi roca
hacia el ahogo de estas aguas,

dejo mi cuerpo desnudo
entre tantos como yo,
tan llenos de silencio,
tan vacíos de calor de hogar.

IMAGÍNAME ESTA NOCHE

Tus ojos inyectados en la gente,
a media voz,
        reproducen el instante,
el encuentro fugaz de nuestros cuerpos;
un transcurrir escurrido
        en esta masa ausente
donde me busca tu deseo iracundo.

        Con mi rostro en la memoria,
y entre distintas figuras,
reconstruyes esta imagen,
la aprisionas en la retina
y te aventuras a decir mi nombre.

        Ya existe aquel llamado de tu boca
que reconozco;
la ilusión de mi amor perece,
se evapora en el sonido de esas voces
donde la mía ya no anida.

Ya no estoy;
tampoco tú.

Provengo de este pasado
          que ya no es mío,
o no lo es tanto
como sigue siendo de ti.

DESEO VACÍO

El sexo transcurre desprovisto de amor,
como los cuerpos inermes
a merced de la noche.

Felar
es un verbo inconjugable
con tu nombre, en los filos
herrumbrosos de esta pared.

Canto ahogado, sin sonido
sin musicalidad, sin son.
Mi deseo yace sin rostro,
sin contacto, sin deleite
del que hace de aguas los
vientres y los nabos.

Qué vacíos se han quedado
nuestros ojos;
qué insensible que anochece
nuestra piel.

ANIMAL DE NOCHE

I

Dormido, el pecho late,
palpita y se acongoja.
¿Acaso un alma puede oír
en este infierno de color
donde se mueven mis células?

II

Mi lengua evoca un canto ciego,
palabras que huyen del sonido;
muevo un pie
y el cuerpo lo sigue.

Las manos se agitan en el aire,
se tiñen multicolores allá arriba
donde el silencio no existe,
donde no advierto tu voz.

¿Qué placeres aguardan en la noche?
¿Cuántos ojos se detienen en mi cuerpo?
Me acarician con furia,
toman de esta agua que es mi carne;
me abandonan en el beat,
en el vibrante sonido de mi oscuridad.

V
u
e
l
v
o
a la calle,

a la misma vereda recorrida,
la misma ruta singular.
Con el cuerpo deshecho,
impregno el vientre de la ciudad;
con mi presencia ambigua,
entre ratas y vagabundos,
alcanzo mi guarida.

CUERPOS PARA AMAR

Sinuoso, el cuerpo se mueve,
me toma de un brazo
y acerca su boca
al vértice de mis piernas;
su mirada persigue, incendia,
exhala el aliento cerca del cuello,
y atenaza sus dedos
en los nudos de mis hombros.

Mientras todos giran y empujan,
un beso se mezcla con la locura,
me encharquece de blanco y sangre,
          igual que mi bandera,
el sitio donde se conjugan
los cuerpos que trajimos para amarnos.

NOCHE DESANGRADA

La noche está en peligro;
incrustada lleva una esquirla de plata,
desangra un morado chorro,
un millón de sueños que despiertan
estremecen los tejados,
acongojan los ladridos.

Aquí abajo arde el neón.
Nadie observa el final herido
de la sombra del mundo;
la penumbra decayendo en la mirada,
empujando el siseo contrito.
la queja,
el llanto,
el dolor.

Nebulosa moribunda
empujada por el tiempo,
la luna se esconde
para evadir sus propias culpas.

Un músculo convulsiona,
se estremece ante el miedo;
el próximo final se agita,
se muerde un labio
al ver la luz tatuando el horizonte.

Ya llega la mañana;
            ha muerto la noche,
desangrada de miseria,
cargada de cuerpos que la olvidan
frente a la luz de un nuevo día.

ESE SILENCIO

El vacío de tus ojos en la ventana,
en la mansa calle que huye de ti,
no lo deseo.

Tus pies han dejado, al fin,
de tocar el suelo;
ahora te deslizas a centímetros
del pavimento,
el mismo que hace eco
en este pecho acongojado.

¿Acaso has de volver triste el rostro?
¿Compungidas tus manos
se cerrarán en un puño?
¿El nudo en tu garganta
asfixiará un último deseo de mí?

…rotundamente no…

porque te has ido en pedazos cada
mañana;
al brote del alba perece el amor,
fenecemos ante las luces del horizonte,
pero yo aún rescato el bullicio de mi urbe,
mientras tú aniquilas cada sonrisa
con el frío retumbo del silencio
entre tus labios.

TAN SOLO PIEL

Cómo late tu pecho
en este vacío apabullante,
en este ruido
que alberga
otros silencios,
otras bocas humeantes,
otros deseos inciertos.

Verás que en mis ojos
no existe tal magnitud;
tu deseo me encuentra,
ignorantes son mis manos,
mis huesos,
mi piel.

Se expande el sonido.
No escucho tu voz.
Tu cuerpo me deja;
el mío ennegrece.
Vuelvo a ser
quien nada es.

Vuelvo a ser
aquel niño
que añora el latido
de un cuerpo sin nombre,
sin rostro,
tan solo piel.

Ilusión de ti

Yo no imagino la calle
sin el roce casi dulce
de tu sonrisa;
            aun así,
voy por la acera,
camino contra el viento
buscándote en rostros contritos,
y no te encuentro.

Tantos "no imagino"
me repito;
a través del tiempo,
vuelvo hacia a mi voz
que, no sospeché, repetiría incesante
un grupo marchito
de incontables imposibles.
Hoy imagino otra vez la calle,
y aún sin ella te sigo evocando.

Mi cuerpo, más allá,
se desnuda, se estremece;
sigue adelante
imaginándote.

CUERPOS EN LA NOCHE

Mi cuerpo alberga la noche,
y es la noche quien ostenta el tuyo;
aquí mismo te encuentro,
en mi propio ser estrellado,
en mi propio rayo de luz,
sobre el manto acuoso de la bahía,
en mi propio mar.

Otros cuerpos coinciden
con mi silencio;
ojos cerrados,
mandibular canto que entono
mientras la piel exuda el movimiento
donde recojo tus sentidos.

Una a una acumulo las miradas,
dedos que atraviesan mi cintura,
labios que se funden en mi boca,
palabras que no recuerdo, deseos
que no comprendo,
poderes que me acreditan
en la mitad del lecho.

¿Seré solo el cuerpo que se mueve?
¿Seré solo el reflejo de mi ser?
¿Seré solo el movimiento
desesperado de mis células?
¿Seré el resultado de mi droga,
la misma que consumes
mientras me miras?

CONDENA INVERNAL

Él prodiga la ternura feroz
que me delata;
escarmienta con dolor,
mal paso que me acusa,
me doblega y atormenta,
me devuelve a ser el que nunca fui.

Al latido que no mengua
le pongo un nombre,
          lo acaricio,
          lo arrastro;
confabulo contra mí,
me desangro con su nombre
al caminar, sobre la nieve
que, blanca y anochecida,
se torna…

El muerto

El cuerpo cayó frente a mi puerta.
Listones amarillos decoran la avenida;
repleta está de rojas luces,
expectantes miradas
desparramadas en el asfalto.

Alguien disparó contra el muerto.
Por mi ventana escapó
el bramido del fuego,
mano que ajusticia en el gatillo
y nos empuja hacia el final
o al inicio del dolor.

Alguien levanta un cuerpo acribillado,
observa aquellos ojos sin vida,
esa mirada eternizada en el último
suspiro,
momento en que la muerte atraviesa
la carne

y se instala en la estatura rota de
        la noche,
en que la sangre estalla y se desparrama,
en que nos abandona el espíritu
        para morir frente a la puerta,
en mi recuerdo,
en el eterno silencio
        de mi propia irrealidad.

AL AMPARO DE TU DOLOR

Ahora que amaina la sed
siento mejor el latido de tu pecho,
extraño rumor palpitante
que se mueve en ti y me acaricia
como a otro,
          también acarició;
como a otro
          me toma,
me miente al oído con tristeza,
vulnera la carne acongojado,
explota en mi ser sin nombre,
se enjuga la mirada con mis ojos
justo antes de volver
por la ilusión de la culpa.

No pienses jamás que nunca supe,
pues he vuelto a ti
sabiendo que dueles,
sabiendo de tu llanto
aquella lágrima que torna
y recorre tu rostro cada mañana
en que despiertas sin él.

En la vereda

Azul es la mirada,
como la pena que anida
en esos labios marchitos,
afincada en el gesto,
en cada pliegue
de tu rostro amoratado.

Tocas tu perfil,
quijada en la derecha,
codo en la entrepierna,
memoria que vuela
en la inquietud,
como tu pelo frágil;
sábana dorada
que se estremece tras el viento.

Tu cuerpo descansa en la vereda,
contempla mis ojos;

el latido de tu piel
contrae un músculo rabioso,
incontenibemente inmóvil,
esperando una sombra
incapaz de alcanzar
su errante deseo de soñar.

Cavilaciones de un cuerpo olvidado

¿Cómo renuncio al sabor de tu boca,
a la textura áspera de tu rota barbilla,
al influjo infame de tu voz sobre mi piel?

¿Cómo olvido la noche entre suspiros,
el acoso del deseo bajo tu cuerpo azul
entre los vellos de tu pecho esculpido?

¿Cómo abandono el aliento tuyo
que se esconde en mis almohadas,
en los contornos
        de mi cuerpo quejumbroso?

Ahora que te vas me invaden
        las preguntas.
Ahora que no estás sisean los recuerdos,
memorias falsas que inventé pensándote.

Porque fuiste más que un cuerpo
en mis noches desgarradas de placer;
fuiste y sigues siendo noche,
y yo el cuerpo que se olvida
llegado el amanecer.

ELISEI

Hay algo más que carne y huesos
en esa mirada atómica
carcomiendo el cuerpo,
desde la profunda raíz
hasta el efímero movimiento
con que me enfrento a la noche.

Me tomas con fuerza
y absorbes de mi boca
un poco más de mí:
tu mano en mi cintura,
tu voz en mis orejas,
la vieja glándula de mi cuerpo
despierta sombría entre tus dedos.

Me dejas ir.
No más allá del alcance;
persiguen tus ojos
los acordes de mis músculos,
el sonido de mis huesos,
la ambigüedad de mis pupilas.

Sin miedo, me envuelves;
dominas la piel.
El roce de tu voz
languidece desde todo sonido;
un último susurro se mezcla,
como el hit,
y ataca, en la pista de baile
de mi cuerpo hecho deseo.

Gravedad

Imagina cómo caigo,
gota a gota,
y desparramo la sed de mi sangre;
latido a latido,
extravío la voz que me vibra.

Ya no vuelves sobre mí,
te has marchado con la sonrisa en alto.
Estiro un brazo, débil,
bajo los ojos que me inundan,
          me señalan;
impetuosos, me carcomen.

He caído frente al mundo;
en el aire, mi cuerpo se estira y perece,
gimotea en su último intento
por devolverse digno al equilibrio,
pero cae
          y sigue cayendo.

OTRO

¿Sientes la humedad de mi boca,
el calor palpitante de mi envoltura?
Allí también se esconde alguien que grita;
sin voz se retuerce y anhela,
discrepa sin teoría,
    confabula.

        Ahora que siento la sábana oscura
        adherida a mi deseo,
ahora que tu peso enmudece
el grito de mi carne,
vuelvo a recorder
lo que siempre supe.

        Tus manos coleccionan
mi conjunto de latidos;
        gemidos indecisos,
cobardes pálpitos de esta garganta
que ya no sabe deletrear mi nombre,
y solo el tuyo regresa
cuando te siento profundo y más ajeno.

Arráncame la piel,
como haces con mi rostro.
Elimina ese latido,
como hiciste con mi nombre.
Conviérteme en un cuerpo
bajo tus dedos.
No dejes que mi alma
contamine tu deseo,
tu añoranza de aquel
con nombre y con latido,
tu llanto insoluble
que viene y va
por ese amor que ya perdiste,
que se disuelve en mi sudor,
en la humedad de tu lengua
dentro de mi boca.

PREVISIONES TENEBROSAS

Palpo el fuego que habita en tu piel,
lágrima rota que traspira un dolor,
ausencia larga que brota de ti
y me alcanza desde el arco de tu boca,
justo allí donde podría perderme
inagotable.

Cuántos mensajes me susurran los muros;
un blanco absoluto me doblega,
una voz que no es sonido
se desliza entre tus sábanas,
y me calcina –desnudo– en tu regazo.

Extraño el guardián que nos observa
y acecha, en esa sombra contrita,
donde misterioso se arrastra hasta
alcanzarme,
para hendirme en su presencia
y reservarme un conjuro
que me resguarde del dolor.

Así son las noches en mi ciudad
donde los muros nunca callan,
donde el deseo es más potente,
donde encuentro el valor
de moverme en lo prohibido
para llenarme la oquedad.

OTOÑO DE NOCHE

Es otoño y cae mi piel;
sombra bajo sombra
me escondo de la noche.

¿Qué hace el cielo sin sus pájaros
o estas calles libres de alimañas.
¿Adónde van las ardillas
cuando ruedo entre los ojos del mundo
y me golpeo esta cabeza
contra el eco de mi abandono?

Es otoño y caen mis cuencas;
las tomo de la vereda
y me acurruco en un rincón.

Vuelve un deseo a cortarme la piel;
obsceno volteo el cuerpo.
Presiento una mano
cerrarse en mi cintura;

hala de mí
mi propia miseria,
la mezcla con su aroma de noche
y su voz invisible en mi oído corrupto.

Es otoño y me olvido de mí;
me busco entre cimientos,
entre las bolsas de basura.

Ahora pierdo mi propia voz,
olvido una palabra determinante,
olvido que esta calle me odia
como odio el deseo vacío,
obsoleta inquietud de algún hombre
de alguna bestia nocturna
depredando lo poco que soy,
lo mucho que fui.

MANHATTAN

Perla negra brillante,
oscura nube que exclama,
grita con luces,
bramidos que caen,
mojan la ciudad
y sus cuerpos,
        voces,
        secretos.

Con el torso desnudo avanzo
en las calles;
me apodero del humo,
vapores que se extienden
desde la octava,
hasta los huesos
        bañados en sudor,
        carcomidos de deseo.

Rechazo

No siempre soy deseo.
A veces cae en mí
la extraña sombra del desprecio;
encuentro infortunado de mi cuerpo
con la negra entraña de tus ojos.

Ahora mismo estoy en una esquina;
intentan mis huesos sujetarse al vacío,
albergar la mirada ajena,
alcanzar el rose anónimo
de las ganas que cargo en la piel.

Parezco un ser sin nombre.
Cuánto añoro rechazar una caricia;
volver el rostro sonriente
y negar con la mirada,
pero esta noche solo está el espejo sucio.

En el reflejo, mi rostro ríe;
sin embargo, me observo desahuciado,
descarnado y desalmado.
Permuto en la agonía
de mi ser solitario.

Cuerpo indiferente

Hoy no logro alcanzar tu figura;
las botas altas no son suficientes para tu
sombra.
Mi cuerpo esbelto y dibujado por las luces
va gimiendo por tus ojos que ya no me
miran.

Te busco en otra piel, y siempre vuelvo
a ti,
allí mismo donde me detienes,
copa en mano.
¿Quién podría tocar aquel rostro de
hombre,
esa boca, esa lengua, ese pecho,
tu sexo marcado sobre el jean,
tus latidos fuertes que no suenan por mí?

Ahora que me voy, vuelvo a buscarte en
la penumbra,
resignado y abatido,
rechazado,

poso mis ojos en tu abandono,
en el mismo silencio con que te cubres
y me alejas.

Atravieso el viento de la noche
deseándote igual
o más que nunca;
deseando alguna vez calmar aquella gota,
invisible llanto que encubres
en el cristal de tu mirada indiferente.

SOL

Hoy te recibo cargado de estrellas,
no sin antes abarcar las calles
con esta luz que viene del cielo.

En mi camino hacia ti
se mueven los planetas;
en el oscuro y basto universo
conjuro mis deseos más ocultos,
        los siento llegar
en cada rostro que vuelve tras de mí,
en las luces que me cubren de mí mismo.

Hoy llevo conmigo una migaja,
y en mi cuerpo henchido
se digiere una hogaza completa.

No he de entregarte más
que este deseo ardiente
que quema mi entraña;

no buscaré tu silueta
en el sendero de la noche,
no te daré más de mi propia savia,
de mi dolor para calmar el tuyo.

Hoy me he vestido de astro
y he recordado que el sol
no gira alrededor de planeta alguno.

Ya no volveré a esa órbita en que giré;
tu respiro no será el mío,
          no serás más oscuro
que mi negra noche.

CRUJE

Mientras observo,
la noche oscura
cruje.

Me desvela agudo
en el centro de este pecho.

Cruje.
Levanto el rostro,
recuerdo unos ojos que me observan.
Me desnudan en silencio,
con el mundo girando a cuestas,
con más ojos sobre mí.

Crujo.
Me deshago en la vergüenza.
Parado, aún, estoy
en la ciudad que
me señala,
me culpa,
arremete,
me abandona.

No sé dónde el rostro he de poner.

—¿Es de día? —

En esos ojos anochece mi voz;
palidezco ante el que
habla,
vocifera
y vuelve a mí.

OJOS DE FUEGO

La noche aún no acaba,
        y sin embargo
me invaden las ansias.

Observo algunas luces
encenderse sobre mi pecho,
iluminar la carne desnuda,
saturar mis ojos con sus destellos,
        y sin embargo,
no quiero creer que soy yo
quien atrae ese fuego.

Sobre mi cara acampa la duda,
el reflejo de un temor,
        inalterado recuerdo,
fraude que valido con el miedo,
que me castra la sed de ser
lo que quiera ser
bajo el auspicio de algún cielo
que se cierra en esa boca
y se aleja sin saber
que también la deseo,

también la acaricio
con los labios secos,
el cuerpo errante
y el alma descalza.

AGUACERO

Tu voz ya no resiste esta lluvia.
Caen
          las hojas
                    secas
                              en tu regazo.
Culpa derramada
que cae inclemente como lava
                              en mi corteza.

Sigue lloviendo
          en tu mirada,
          en tus ojos
donde todo sucede;
se cierran alborotados,
y en un parpadeo
          me alcanzan,
          me cercan,
          me petrifican.

Pedazo de carne

El humo se me escapa;
defenestro algún camino,
        cierro mi boca.
Con el agrio sabor de tu mirada,
        cierro los ojos al cielo
y me pregunto
—dónde andará extraviado tu cuerpo.—

Ahora que me evaporo
y me empuja el viento,
ahora que es otoño
y el frío perfora mi garganta,
te anhelo
        más allá de la piel.

Vuelve a la vereda
        donde nos vimos,
        donde mis pupilas dilatadas
se asentaron en ti,
justo antes de caer del cielo
este calor que me incendia las tripas.

Vuelve a mirarme entre las luces,
cansado
de beber,
de drogarme
entre las almas,
girando junto a mi maldición.

Ya no quiero ser
un pedazo de carne.

Quiero observar tu silueta,
saber que, en este silencio,
no volveré más a estar solo.

COLORES DE TU CUERPO

El cuerpo se mueve
lento,
moderado,
ansioso.
Se mueve dormida
la piel que brilla sin luces,
esperando la noche y el ruido,
el clamor de la luna
en cuarto menguante.

Sobre este bote
hago un surco,
rasgo el manto verde de su ser
y observo de nuevo.
Tras de mí,
la espesa corriente
lo devuelve a su estado
inalterablemente acuoso.

Ahora te cubres de colores:
un rojo pujante brilla en tu regazo,

el azul de una llamarada emerge,
el potente morado de un corazón roto,
y un suspiro verde
se arroja como el viento,
se pierde
junto a la noche malograda.

De una noche

Veo que en
            tus labios
se disuelve
            mi boca,
y no es exacto el murmullo
que no habla de mí.

Veo que me miras
sin detener la mirada
donde tus ojos marcaron
            mi piel.

Ahora que ya me tuviste,
regreso al anónimo momento
         en que mis huesos
se mueven
         en este extraño ritual.

Las luces giran,
iluminan mi abandono;

otros ojos se encuentran
con mi piel
                    desgastada.

Cansado, volteo
sin poder negar que también deseo;
no importa quién fuere,
mañana el olvido
ha de limpiar mi húmeda sábana.

La noche es tu cómplice
en esta aventura en que nos perdemos;
también es la mía al buscar
otras bocas para esconderme.
¿Acaso importa el vacío que siento
cuando recuerdo esos rostros
disueltos en mi sudor?

La mentira del placer

¿Qué demonios se esconde tras el ruido,
compuesta irrealidad que golpea
–desde adentro–
los rescoldos de la mente?

Mi ser es este espejo donde bailan mis
pupilas,
donde juegan con canicas explosivas
las imágenes,
donde nacen los delirios
de la mano de algún dios al que no rezo.

Una mano que estruja mi razón,
me exprime la aptitud de las neuronas
que dejaste vivas,
y agasaja la ignominia del momento,
la ensancha y me la muestra;
me la impone.

Vuelve la llave hacia mis fosas:
un coctel de tabletas me afloja las rodillas,

me transforma en un ser inmaculado,
sin miedo y sin dolor,
mientras me dura el viaje.

La milagrosa vida deshace los pesares;
crujen mis dientes bajo el peso de
lo prohibido,
bailan mis pupilas químicamente
alucinadas,
y se encuentran con otros ojos también
perdidos, agotados,
ahogados y confusos.

SINNOMBRE

No importa el color de tu piel
al estar dentro de mí;
tampoco tu voz
o el gusto extraño de tu saliva.

No importa tu talla
o el color de tus ojos,
tu figura esbelta,
el contorno de tus cabellos,
el tamaño de tus huesos,
la forma de tus ojos.

No importa la fe que te mueve
o el lenguaje que performa tu lengua.
No importa tu patria o qué tan lejos
naciste,
qué tan lejos llega tu sombra,
el himno nacional,
la mascota de tu bandera.

Mientras me tomas, apago las luces,

te siento profundo y gimo;
atesoro el sudor de tus poros
mientras termino, en tu pecho,
pronunciando mi nombre y no el tuyo,
porque el tuyo será otro mañana
donde no ha de importar la llegada
de la aurora.

ACENTO

No dudo del calor,
con tu piel salpicada de mí,
cuando te beso y decaigo para arriba,
y desde allí sonrío   despacito,
                                en silencio,
mirando con temor
lo que duele
        al final del día
que me empuja
        a la noche y su espejismo.

De quien dudo se esconde
        en el espejo,
        en el gesto que recuerdo
pero no permuto,
        en la forma incierta
de mi endeble figura que por fuera,
        desgarra y se arroja contra
tu cuerpo,
pero aquí dentro,
donde importa,
        se siente tan solo.

Más allá de la piel
        no existe un lazo;
contigo se sacia el deseo,
pero el amor se escapa con mi acento:
        —sorry my english is not so strong—,

Me río de mí mismo
mientras camino ya en la calle,
y pienso en este nuevo día
en que escapo de tu noche.

SOMBRA

Esta noche soy el motivo;
bailo en la vereda donde mi voz
        se evapora,
sobre el lamido de tu lengua por mi
cuello,
justo ahora que el viento empuja tu aroma
y me adormece en un intento de sueño,
mientras te vas sin saber quién soy.

Ahora entiendo que solo soy
        carne y hueso,
un trozo de deseo disperso en la oquedad;
amarilla, mi piel sobresale con las luces,
y mi rostro chino se deshace
        en la penumbra,
cambia como cambio de manos,
        de ojos,
        de piel
                y de calor.

Esta noche, otro será quien me sostenga;
jugaremos al amor mientras nos dure.

Pasaré por sus labios sin importar
el resultado.
Tomaré de su aliento hasta saciar la sed;
luego se irá desierto de camino,
a la razón,
y seré la sombra de una noche más,
en esta calle sin ley para el amor.

CALIFORNIA

Esta distancia tan insípida
me ha cubierto la boca de un fuego
amargo,
me quema los labios hasta la comisura,
me afinca en la pantalla de este aparato
seductor,
porque no hay forma de estar cerca de ti.

Ahora que tu voz también se apaga,
me desgasto las corneas frente a tus fotos,
imagino una culpa que no progresa,
te diluyo en un recuerdo hermoso
y atravieso mi garganta, al beberlo
derecho.

Qué rubio baila tu pelo en esa marea.
Dorado, tu cuerpo me ofrece su silueta;
vuelves esos cielos hacia mis desiertos,
agitas mi mar nebuloso y oscuro,
con esa sonrisa con la que te derramas.

Qué bellos los ojos en los que me diluyo;
tan lejanos de este universo que lleva
mi nombre,
mientras el tuyo lleva la arena de otro
mar,
otras miradas que nunca he de entender,
otras tierras, para amar como se ama
en el hogar.

SABER

Ahora que el cielo ha caído,
recojo sus partes diseminadas
          en mi balcón,
observo la calle repleta de azul
y nubes blancas;
los autos han quedado anegados de noche,
y los techos de polvo estelar.

La gente no sale por temor;
pierdo el deseo de aquello
          que no nos alcanza,
porque hoy el cielo está a mis pies
y mi silente morada
se cubre de aquello que, antes,
solo podía anidar en mi mente
en forma de sueño o irrealidad.
Ahora sé que nada es imposible.

CUERPOS ERECTOS

Todos los cuerpos funcionan igual,
menos el mío que no responde,
no despiertan los instintos frente al roce;
la caricia ajena permanece sin respuesta,
un dedo divaga entre los surcos
y se posa en el hombro
todavía queriendo,
aunque yo no responda.

Percibo la piel como un manto de lujuria,
los cuerpos chorreados en la ambigüedad;
suplicantes y erectos, sus rostros,
desaparecen entre gemidos,
ahogados en un placer tan humano e
        irreal
como el submundo donde no existo.

Soy un fantasma en esta guarida;
las miradas han dejado de posarse
        en mi regazo.

Siento el sudor ardiendo
        en mis pulmones,
el sonido de la piel espantando
        exclamaciones,
un lenguaje que no comprendo
me golpea con su bastedad,
mientras me hundo en la certeza
de tener un cuerpo que no comprende.

CONFESIONES SOBRE EL AMOR

Añoro el deseo en los ojos ajenos,
miradas que cubren lo que menos
importa.
La calle es un desierto plagado
de espejismos,
lujuria incalculable
matizando mi poca gracia,
este cuerpo marchito que se pierde
en el sendero.

Languidece la piel
que oculta mi figura;
se estira la quijada,
sobre el cristal,
marcando los hoyos
en mis mejillas.

Detesto esta sombra
dibujada en la vereda,
la belleza ambigua
que espanta los deseos.

Estas costillas que cuento, con sigilo,
me avergüenzan frente a la fauna salvaje.

Se dispersan las intenciones,
desespero;
ningún rostro me importa
más que otro.

Un simple beso se nos escapa;
deseamos más,
bajo el amparo largo de la tiniebla.

SECOND ROUND

Tenerte en mi cama no tiene sentido;
aun así, me aferro a la piel que cae
          sobre mí,
saboreo la sal de tus poros
y esa mirada inflamada pidiendo algo más
que un simple beso.

Ahora que estas dentro,
escucho el susurro de tu deseo;
este calor que brota de mí,
diluye un poco el frío témpano
que es habitante de mi entraña.

Llegas más allá de la herida.
Balbuceas un conjuro en la cavidad;
tu lengua pasa y me encuentra seco,
pero permite que tu voz trascienda,
que me devuelva el valor que se require
para, al final, dejar la noche azulada.

SOL DE MI NOCHE

Descubrimos que, en lo oscuro,
la voz es solo nuestra.
En un tiempo sin estrellas
logré sentir un poco de quien fuiste:
sintonía de tu pecho con mi sonrisa,
allí donde tus ojos se quiebran
tan azules como tu propio mar.

Hoy que lo oscuro vuelve a ser solo mío,
recorro las calles que tu presencia
aborrece;
tomo una hoja caída al pasar,
y pienso en ti,
espuma de ola,
graznido de cielo a pleno sol.

¿Por qué arrastrarte a la ciudad
de la noche?
¿Suficiente será mi arena para tu inmenso
mar?

A veces pienso en el sol
que escondo en la maleta;
tanta noche acumulo entre mis huesos
que, al sacar el pedazo de luz,
no logro sentir ese calor que percibo
al tenerte cerca.

Porque cerca estuviste al conocerme,
y escuché el bramido de un mundo nuevo
al contacto efímero de tu marea
con mi piel;
cerca estuve al oír tu suspiro escapar
de las membranas
de los alveolos
compungidos pidiendo una noche más,
o fui yo, posiblemente,
quien creyó que esa voz sería mutua,
cuando fue siempre solo mía
y de nadie más.

En un tiempo sin estrellas,
sentí tu sol y tu mar
y tu cielo azul.

Ahora me conformo con tu silencio;
me conformo porque sé que eres luz,
y yo solo una sombra que perece
con los primeros gritos del alba.

AQUELLA CALLE

adonde me lleva este beso nocturno,
y este cuerpo que me adquiere a plena
calle,
siento su peso en mi lengua,
en mi gemido que huye en el callejón,
en la caliente entrepierna
que quema mis muslos
desde mi mano curiosa bajando
por su hombría.

Ahora que tu cuerpo se apaga,
que tu mano me suelta
en este mar de sábanas,
pienso en lo hermoso que fuiste,
en tu deseo saciado de mí
y mi cuerpo listo,
como siempre,
para ser reemplazado.

Me acurruco una vez más
en tus pectorales,

cierro los ojos sonrientes…

¿Y sí...?

Pero sabemos que no,
sabemos que existe una noche
en que usamos el calor de la piel,
pero la noche muere cada día,
solo renace con nuevos deseos,
y nos regresa a la calle en que nos vimos,
a escoger un cuerpo nuevo,
a encontrar el ardor del deseo
en los pedazos de otro hombre,
tanto o más roto que uno mismo.

DÍA DE MI NOCHE OSCURA

¿Podría yo cambiar esta noche,
por el sonido inflamado
        de tus amaneceres?
no sé si sea una pregunta,
la ficción de un deseo que no tengo
o mi simple anhelo de ti.

Te pienso en medio de mi oscuridad,
rumeo tu voz mientras me cubro del frío,
invento una excusa
        para volver a pensarte,
y aunque sea claro en mi destino
que no estarás
y no estaré al llegar de los días,
me pierdo en esa ilusión de tu boca,
absorbiendo cada milímetro de mi aliento.

Es increíble que te encontrara
        en lo oscuro,
pues tu lugar siempre ha sido la luz,

turista en este reino que fabrico
justo allí cuando cae el ocaso;
sin visa he dejado
que viajes por mi piel,
sin pensar en el camino
que has dejado desierto
al volver a ese sol que brilla más fuerte
contigo,
lejos de mí.

AMANECER

Las horas de mi noche
van llegando al final:
el tumulto humano
            disperso en la avenida,
venas y músculos,
pasiones y desenfreno,
todo regresa
al silencio de una mañana
que me alcanza despierto,
me encuentra solitario y desnudo,
sobre un cuerpo sin latido
que se mueve profundo y leve.

Acerca del autor

Nilton Maa (Lima, Perú, 1988) Es un destacado autor y gestor cultural de ascendencia tusán, perteneciente a la segunda generación. A lo largo de su carrera, Nilton ha explorado y promovido la identidad tusán y nikkei a través de su trabajo literario y proyectos culturales. Entre sus publicaciones destacan las novelas *Imperio de sombras* (2020) y *Cuando muere la niebla* (Editorial Trotamundos, 2022), así como los poemarios *Mientras caen mis hojas* (Editorial Cascada de Palabras, 2021). *¿Qué bestia escoges hoy para morir?* (Nueva York Poetry Press, 2024) es su más reciente producción.

En el ámbito de la gestión cultural, ha organizado numerosos recitales en Lima que han servido como plataforma para la expresión poética de las comunidades tusán y nikkei. Además, fundó y dirigió el canal de YouTube Presencia oriental, creó y gestionó el podcast Poesía tusán, desde la voz de sus autores, y co-dirigió el ciclo de conversaciones Voces desde el silencio en colaboración con el Museo de Queens en Nueva York. Actualmente, es editor de la Nueva York Poetry Review. Sus poemas han sido publicados en diversas antologías y revistas literarias internacionales, y ha sido reconocido en varios concursos literarios, incluyendo un segundo lugar en el concurso de microrrelatos La cruda brevedad. Literatura en tiempos de colapso de la revista La Ninfa Eco, y finalista en el concurso El mar organizado por la Oficina Económica y Cultural de Taipei en Perú.

ÍNDICE

¿Qué bestia escoges hoy para morir?

DREAM'S EVE

VÍSPERA DEL SUEÑO

Hispanic American Poetry in United States

Poesía hispanounidense

Homage to Aida Cartagena Portalatin (Dominican Republic)

POETRY
COLLECTIONS

ADJOINING WALL
PARED CONTIGUA
Spaniard Poetry
Homage to María Victoria Atencia (Spain)

BARRACKS
CUARTEL
Poetry Awards
Homage to Clemencia Tariffa (Colombia)

CROSSING WATERS
CRUZANDO EL AGUA
Poetry in Translation (English to Spanish)
Homage to Sylvia Plath (United States)

FIRE'S JOURNEY
TRÁNSITO DE FUEGO
Central American and Mexican Poetry
Homage to Eunice Odio (Costa Rica)

INTO MY GARDEN
English Poetry
Homage to Emily Dickinson (United States)

I SURVIVE
SOBREVIVO
Social Poetry
Homage to Claribel Alegría (Nicaragua)

LIPS ON FIRE
LABIOS EN LLAMAS
Opera Prima
Homage to Lydia Dávila (Ecuador)

LIVE FIRE
VIVO FUEGO
Essential Ibero American Poetry
Homage to Concha Urquiza (Mexico)

FEVERISH MEMORY
MEMORIA DE LA FIEBRE
Feminist Poetry
Homage to Carilda Oliver Labra (Cuba)

REVERSE KINGDOM
REINO DEL REVÉS
Children's Poetry
Homage to María Elena Walsh (Argentina)

STONE OF MADNESS
PIEDRA DE LA LOCURA
Personal Anthologies
Homage to Julia de Burgos (Argentina)

TWENTY FURROWS
VEINTE SURCOS
Collective Works
Homage to Julia de Burgos (Puerto Rico)

VOICES PROJECT
PROYECTO VOCES
María Farazdel (Palitachi)

WILD MUSEUM
MUSEO SALVAJE
Latin American Poetry Collection
Homage to Olga Orozco (Argentina)

OTHER COLLECTIONS

Fiction

INCENDIARY

INCENDIARIO

Homage to Beatriz Guido (Argentina)

Children's Fiction

KNITTING THE ROUND

TEJER LA RONDA

Homage to Gabriela Mistral (Chile)

Drama

MOVING

MUDANZA

Homage to Elena Garro (Mexico)

Essay

SOUTH

SUR

Homage to Victoria Ocampo (Argentina)

Non-Fiction/Other Discourses

BREAK-UP

DESARTICULACIONES

Homage to Sylvia Molloy (Argentina)

For those who think as Aida Cartagena Portalatín que *Worlds of tired feet /will rest. Memory's thirst/ will have the rain of forgetting./ My bed will be soft on the thistles;/ I'll dream of seedheads, it's eve of the dream.* , this book was published May 2024 in the United States of America